KB101792

유지관리

1. 흙에 물 주기

2. 강철 원과 정사각형 닦기

3. 늘어진 실 당기기

4. 수백 개나 있지만 여전히 불을 꺼놓는 편이 나은 전구 갈기

5. 합판에 손대지 않기

6. 펠트 꼭대기에 있는 구리에 손대지 않기 펠트는 손댈 수 있다

7. 진짜 기름통을 철물점에서 사온 플라스틱 기름통으로 교체하고 낡은
   독일제로 보이도록 색칠하기

8. 펠트 속에 낀 동전들과 아치에 붙은 장난감 자석들 제거하기

9. 먼지가 유리의 일부가 된 유리의 먼지 떨지 않기 유리를 어떻게 깰
   것인지는 각자 알아서 할 문제

10. 도표대로 선 그리기

11. 아치의 녹 제거하지 않기 아치들이 자주색이 되게 녹이 바람에 날려가게
    놔두기

12. 상자에 자외선이 닿도록 두지 않기 지저분해 보이는 상자들 안으로 들이기

13. 천 달러짜리 특수 벽지에만 초상화들을 걸었다가 파괴하고 조각
    하나까지도 마찬가지로 파괴하기

14. 바닥을 들어내고 참나무를 구워 만든 일제 숯판을 바닥 널 밑에 깔기

15. 지문이 보이지 않도록 다시 칠하기

16. 발자국 쓸어 없애기

17. 대문(치명적인 구멍들) 닫기

18. 구겨진 차들의 주름을 점차 펴지게 하기가 걱정

19. 실 느슨해지게 하기

20. 도표에 순서가 주어지는 어떤 순서에서 그들이 상자에서 나오는 순서
    등등에서 그러듯이 순서는 유지관리의 문제인가

21. 누가 이 모든 것을 생각하나 여기엔 규칙이 있나 일과 그것의 유지관리
    사이 ~~의 경계~~ 누가 그걸 그리는가

22. 경계 좋아하지 않기

23. '친애하는 생산적 기인(奇人)' 헨리 제임스'는 어떤가

24. 역(逆)유지관리(깨끗한 관람석의 유령 문제) 꼭두각시 줄 바로 밑에는
    아무도 걷지 않는 공간들 닳음과 헤짐이 결여되어 바닥의 다른 부분과
    구분되지 너는 거기를 더럽힐 수 있나

25. 한밤중에 룸서비스로 옥수수빵 주문하기 그들은 대신에 무엇을 제안할까

26. 사람들은 예술을 싫어하고 건물을 싫어하고 부를 싫어하고 특별함을
    싫어한다 그 예술 작품은 그러니까 야구장 같은 데 두지 그래요
    안내데스크에서 어떤 남자가 내게 말했다

¹ 헨리 제임스(Henry James, 1843~1916)는 미국의 작가로 리얼리즘 문학에서 모더니즘 문학으로의 전환을 이끈 핵심적인 인물로 여겨진다. 어릴 때부터 유럽과 미국을 오가며 생활하다가 1878년에 런던으로 이주했고, 미국이 제1차 세계대전에 참전하지 않는 것에 분개하여 1916년에 영국으로 귀화했다. 평생 독신으로 지내며 스무 편이 넘는 장편소설과 백 편이 넘는 중단편소설, 각종 평론, 여행기, 비평문을 썼다. 여기에 1만 통이 넘는 편지까지 남겨 '가장 정력적으로 산 19세기 인물'로 일컬어진다.

KB101794

우연히 키클라데스 사람들은

9.4. 그들은 눈구멍에 돌을 넣었다. 상류층 사람들은 귀한 돌을 넣었다.

16.2. 동(動)과 동을 따름에 앞서, 정(靜).

8.0. 무수면(無睡眠) 탓에 키클라데스[1] 사람들은 갈수록 앙상해졌다. 다리가 뚝뚝 부러져나갔다.

1.0. 키클라데스 문화는 에머밀[2]과 야생 보리, 양, 돼지, 작은 배를 타고 나가 작살로 잡는 참치에 기반한 신석기 문화였다.

11.4. 화요일에는 왼손, 수요일에는 오른손.

10.1. 그녀는 내면의 눈에 의지해 항로를 찾으며 섬에서 섬으로 정기 연락선을 돌렸다.

9.0. 그들은 얼굴이 매끈하게 닳으면 남동석과 철광석으로 다시 그려 넣었다.

12.1. 한 종족이 사멸하면 이 모든 전문지식도 그냥 사라진다.

2.0. 그들의 얼굴은 잠자려 애쓰다가 매끈하게 닳았고, 그들의 입술과 젖꼭지는 베개의 압박 속에서 갈려나갔다.

4.4. 어떻게 그걸 작살로 잡는지, 어떻게 그걸 배에 매달고 오는지, 어떻게 그 껍질을 벗기는지, 어떻게 그걸 가는지, 어떻게 그걸 그리 이상하리만치 느긋해 보이게 하는지.

11.5. 당신에겐 이게 그냥 남자애들이 부리는 치기 어린 묘기처럼 들릴지도 모른다.

11.1. 식료품 저장실이라니, 물벼락과 섬광을 견디며 키를 잡은 후에 맛보는 이 얼마나 큰 안도감인가.

4.1. 안 궁리하다.

6.0. 키클라데스 사람들이 손가방을 발명했다고 알려져 있다.

3.1. 고고학자들이 상당한 숫자의 프라이팬을 발견했다. 프라이팬들은 작다. 밤에 배가 많이 고픈 사람이 없었다.

9.1. 내가 대리석 베개 얘기를 했던가? 한 것 같은데.

2.3. 이것은 키클라데스 속담이 되었다.

5.2. 프루스트는 좋은 충격을 좋아했다.

7.2. 곡물 금식(禁食)의 효과는 남녀 모두에게 똑같다. 폐가 예외적으로
명징하고 초연한 상태가 된다.

13.0. 어느 밤에 눈이 내렸다, 유례없이, 황당하게.

6.3. 그리고 만찬 뒤에는 하프.

1.2. 키클라데스 문화는 완전 불면의 문화였다.

2.2. 그들이 말하길, 음, 이게 우리 파이야.

4.2. 인정하건대 내 관점에는 뭔가 문제가 있다. 내 코는 늘 숨을 쉬고 있다.
나는 숨을 쉬느라 매우 고단하다. 우리가 숨을 일절 쉬지 않기로 하면
시간이 넉넉해지지 않을까, 짐작해본다.

4.0. 거울이 키클라데스 사람들을 이끌어 영혼을 생각게 하고 그 영혼의 침묵을
소망하도록 만들었다.

1.1. 배마다 최대 50개에 달하는 노와 뱃머리에 등불을 다는 작은 장치가
있었다. 참치잡이는 밤에 이루어졌다.

16.0. 동요(動搖)의 경험에 관한 한, 작은 고요는 작은 동요를 낳고 큰 고요는 큰
동요를 낳는다.

3.3. 프라이팬에 물을 채워 거울로 썼으리라는 최종적인 이론.

2.1. 소용없었다. 그들은 요령을 잊어버렸다. 잠은 이방인이었다.

14.1. 거기 그것이 제 얕은 구멍들 안을 오르락내리락하고 있었다.

6.1. 손가방, 먹을 것을 발견하는 족족 그 자리에서 먹어치워야 하는 운명에서
인류를 구한 공예품.

3.0. 밤을 새우는 동안 키클라데스 사람들은 프라이팬을 발명했다.

11.0. 하루에 세 번 그녀는 배를 자동항해에 맡기고 서늘하고 고요한 식료품
저장실로 내려갔다.

7.1. 곡물 금식은 유익하다.

9.3. 눈알이 툭 떨어지곤 했다.

11.3. 그렇게 하면 음식의 풍미가 더 살았다.

14.0. 그녀가 자신의 영혼을 돌아본 때가 그 밤이었다.

3.2. 아니면 그것들은 명품 프라이팬이었을지도 모른다.

9.2. 그들은 자기 몸에 멋들어진 V자형 머리선 혹은 여분의 가슴을 그려 넣었다.

5.1. 아마도 아침 식탁에서 다른 사람의 꿈 얘기를 듣지 않겠다는 그의 전면적인 거부 때문일 것이다. 프루스트는 이런 유형의 회상을 '단순한 상기(mere anamnesia)'일 뿐이라고 일축했으니까.

16.1. 저기 달빛 비추는 앞갑판에 바다보다 더 은빛으로 빛나는 그것이 누워 있다.

9.5. 아마 그때는 무엇보다 자지 않는다는 것이 기뻤으리라.

5.3. 다들 자기가 포크로 찌른 것이 정확하게 무엇인지 보는 그 순간.

15.1. 고개 숙이고 우는 널 내버려두는 나를 봐, 같은 노래들. 홍키통크[3]의 영향.

16.3. 그녀의 눈앞에서 그녀의 전부가 풀쩍 뛰었다.

8.1. 그늘은 그걸 걱정해서 두 팔을 몸통에 딱 붙여 장식용 허리띠처럼 두르고 다녔다. 왼팔 밑에 오른팔이었다.

11.6. 그녀는 머릿속 대화를 침묵시키는 것이 좋은 생각이라고 생각했다.

12.0. 구름은 하나하나 다른 냄새가 나고, 바다의 조수도 그렇다. 바위 암초도 그렇다.

10.2. 그녀의 내적 눈은 갈수록 날카로워져서 능히 염소도 잡을 만했다.

15.0. 사람들이 죽어 사라지기 전에 그녀는 상당히 훌륭한 하프 연주자였다.

6.2. 그렇게 만찬회가 시작되었다.

10.0. 결국 키클라데스 사람들은 딱 한 사람, 어느 연락선 선장만 남기고 모두 죽어 사라졌다.

8.2. 오른팔 밑에 왼팔은 꼴불견이라 여겨졌다.

7.0. 현 없는 하프를 연주할 때는 양 엄지만 있으면 된다.

5.0. 키클라데스 사람들은 프루스트를 좋아했다.

4.3. 그건 당신이 충격을 원치 않기 때문입니까?

11.2. 그녀는 식료품 저장실 구석에 앉아 맨손으로 먹었다.

16.0. 동요의 경험에 관한 한, 작은 고요는 작은 동요를 낳고 큰 고요는 큰 동요를 낳는다.

¹ 키클라데스 문명(Cycladic civilisation)은 에게해에 있는 키클라데스 군도에 기원전 3000년경부터 기원전 1000년경까지 존재했던 후기 신석기시대와 중기 청동기시대에 걸친 문명이다. 여러 섬에서 생산되는 흰 대리석을 매끈하게 깎아 만든, 현재까지도 정확한 용도를 알 수 없는 도식적이고 놀라우리만치 현대적인 구성의 여성상들이 유명하다. 또 다른 신비로운 유물로는 원래의 기능을 알 수 없는, 청동에 다양한 문양을 새긴 키클라데스 프라이팬이라 불리는 유물들이 있다.

² 에머밀(Emmer)은 야생 밀을 개량한 고대 밀 품종으로 서아시아에서 인류 역사상 처음으로 재배된 작물 중 하나다. 성숙하면 낱알이 흩어지는 야생종에 비해 재배종은 성숙한 후에도 이삭이 그대로 유지되어 수확하기가 편하다. 고대사회에서 널리 재배되었으나 지금은 유럽과 아시아 일부 산악 지대에서 명맥을 유지하고 있다.

³ 홍키통크(Honky Tonk)는 원래 싸구려 술집을 뜻하는 은어로, 간단한 악기 편성으로 규모가 작은 술집이나 클럽에서 연주하던 재즈나 컨트리 음악 스타일을 뜻한다. 홍키통크는 현재 컨트리 음악의 한 분야로 인정받고 있다.